KB035840

자꾸자꾸 생각나

SEOUL, 2013

자꾸자꾸 생각나

초판 제1쇄 발행일 2013년 12월 25일
초판 제21쇄 발행일 2022년 3월 20일
글 알랭 M. 베르즈롱 그림 이민혜 옮김 이정주
발행인 박헌용, 윤호권 발행처 (주)시공사
주소 서울시 성동구 상원1길 22, 6-8층 (우편번호 04779)
대표전화 02-3486-6877 팩스(주문) 02-585-1247
홈페이지 www.sigongsa.com/www.sigongjunior.com

그림 ⓒ 이민혜, 2013

MA PETITE AMIE by Alain M. Bergeron
Copyright ⓒ Soulières Editeur, Québec, 2010
All rights reserved.
Korean translation copyright ⓒ Sigongsa Co. Ltd., 2013
This Korean edition was published by arrangement with Souliéres Editeur(Québec)
through Bestun Korea Agency Co., Seoul.

이 책의 한국어판 저작권은 베스툰 에이전시를 통해
Soulières Editeur와 독점 계약한 (주)시공사에 있습니다. 저작권법에 의해
한국 내에서 보호받는 저작물이므로 무단 전재와 무단 복제를 금합니다.

ISBN 978-89-527-8702-6 74860
ISBN 978-89-527-5579-7 (세트)

*시공사는 시공간을 넘는 무한한 콘텐츠 세상을 만듭니다.
*시공사는 더 나은 내일을 함께 만들 여러분의 소중한 의견을 기다립니다.
*잘못 만들어진 책은 구입하신 곳에서 바꾸어 드립니다.

KC마크는 이 제품이 공통안전기준에 적합하였음을 의미합니다.
제조국 : 대한민국 사용 연령 : 8세 이상
책장에 손이 베이지 않게, 모서리에 다치지 않게 주의하세요.

자꾸자꾸 생각나

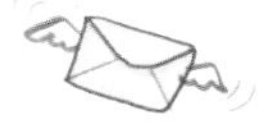

알랭 M. 베르조롱 글 · 이민혜 그림

이정주 옮김

시공주니어

|차 례|

1장

그 애 이름은 파스칼 아멜리예요

여자 친구란 뭘까요?

나한테 자세히 설명하지 않아도 돼요. 여자애라는 건 나도 알아요. 그래도 보통 여자애들과는 다르지요. 예를 들어 소피 라로슈는 그냥 여자애예요. 여자 친구가 아니에요. 내 여자 친구는 더더군다나 아니에요. 어쩌면 뱅상 다고베르의 여자 친구일지

몰라요. 뱅상 다고베르는 왕재수예요! 학교에 여자 친구가 열 명이나 있다고 늘 뻐기고 다니거든요. 하지만 녀석은 머릿니만큼 못생겼고, 키만 조금 클 뿐이에요. 녀석은 나비를 수집하듯이 여자 친구를 수집해요. 자기가 윙크하면서 씩 웃으면, 여자애들이

죄다 넘어 온대요. 칫!

여자 친구가 열 명이라니, 아랍 왕자가 따로 없어요! 그래서 녀석의 별명은 술탄(왕이나 통치자를 가리키는 아랍 어 : 옮긴이) 뱅상이에요. 우스갯소리를 잘하는 내 단짝 앙토니가 지었어요.

그런데 이상하게도 나는 녀석이 여자애랑 손잡고 다니는 걸 한 번도 보지 못했어요. 여자애한테 뽀뽀하는 것도 못 봤고요. 뽀뽀는 세 번이나 해 봤다고 우기는데도 말이에요. 저번에는 어떤 여자애들이랑 뽀뽀했는지 손가락으로 가리키기까지 했어요. 진짜일까요? 여자애들도 그 사실을 알까요? 나한테 잘난 척하려고 허풍을 떠는 건 아닐까요? 난 녀석의 말에 놀라기는커녕 짜증만 났어요.

내 또 다른 단짝, 자비에 보리외도 여자 친구가 있었어요. 이름은 으제니예요. 으제니는 자비에보다 훨씬 키가 크고 힘도 세요. 하루는 자비에가 시어 빠진 라임 주스를 너무 마셨나 봐요. 그 결과는 끔찍했어요. 어디서 그런 자신감이 솟았는지 으제니한테 가서 큰 소리로 이렇게 말했지 뭐예요.

"내 여자 친구가 되어 줄래?"

쿵! 으제니는 큼지막한 손으로 자비에 어깨를

내리치면서 무뚝뚝하게 대답했어요. 그 바람에 자비에는 엉덩방아를 찧었어요. 하지만 벌떡 일어나서는 아주 의기양양한 표정으로 우리에게 걸어왔어요. 자비에는 어깨에 난 붉은 손자국을 보여 주며 뿌듯해했어요.

"걔도 내가 좋대! 이게 우리 사랑의 증표야."

그래도 으제니가 자비에랑 금방 헤어지고 뱅상에게 관심을 보여서 다행이었어요. 자비에의 건강을 위해서 말이에요.

내가 왜 이런 질문을 하느냐고요? 4월의 어느 아침부터 기분이 이상했거든요. 내 안에서

뭔가 달라졌어요. 뭐라고 콕 집어 말하기는
어려워요. 하지만 여자애들이 더 이상 똑같아 보이지
않아요. 소피 라로슈는 빼고요. 걔는 그냥 친구예요.
절대 여자 친구가 아니에요. 혼동하면 안 돼요!

우리 반에 파스칼 아멜리 노엘이란 여자애가
있어요. 내 책상 왼쪽에 앉아요. 파스칼 아멜리는
중국에서 태어나 육 개월쯤 됐을 때 우리 동네에
사는 부부에게 입양되었어요.

파스칼 아멜리는 보통 여자애들과는 달라요.
예쁘고, 똑똑하고, 매력적이고, 운동을 잘하고,
쾌활하고, 양 볼은 발그레해요. 딱 내가 그리던
이상형이에요!

파스칼 아멜리가 쳐다보면, 난 무관심한 척하려고
애써요. 하지만 뜻대로 되지 않아요. 몸이 사르르
떨리고, 숨이 가빠지고, 목이 메어요. 손은
축축해지고, 온몸이 화끈거리지요. 난생처음 땀이 다

났어요. 땀이 나다니, 드디어 나는 남자가 된 거예요! 이젠 땀이 많이 나지 않게 조절만 할 줄 알면 돼요.

난 파스칼 아멜리가 머리부터 발끝까지 다 좋아요. 생글거릴 때 입술은 앵두 같고, 눈은 꼭 라임 같아요. 연필을 잡은 모습도, 의자에 똑바로 앉은 모습도, 책을 읽는 모습도 무지무지 예뻐요. 나도 파스칼 아멜리처럼 책 좀 읽어야겠어요.

코도 우아하게 풀고, 재채기를 하고 나서 미안하다고 말할 때는 얼마나 품위가 넘치는지 몰라요. 내 옆 가까이에 있으면 향긋한 자몽 껌 냄새가 나요.

그러니까, 파스칼 아멜리 노엘이 내 여자 친구가 되면 좋겠어요!

2장

내 얼굴에 쓰여 있대요

나는 파스칼 아멜리를 자꾸 생각하지 않으려고 애썼어요. 하지만 쉽지 않았어요. 봄날 아침, 학교로 가는 학교 버스 안에서 파스칼 아멜리가 교실에서처럼 내 옆 의자에 앉았어요.

"……뭐라고?"

옆에 있던 앙토니가 날 흔들었어요.

“둠둠, 나한테 10억 달러를 빌려 줄 수 있느냐고
물었어.”
(둠둠은 내 별명이에요.)
“어, 어.”
나는 제정신이 아니라서 건성으로 대답했어요.
술탄 뱅상은 좀 멀리, 세 자리 앞에 앉았어요.
나 참, 코웃음이 나와요. 여자 친구가 열 명이나
된다면서 고작 자비에랑 앉았잖아요. 어어? 녀석이
파스칼 아멜리한테 인사했어요! 나는 주먹을
부르쥐었어요. 내가 왜 이럴까요? 질투의 화신이 된
것만 같아요.
체육 시간에 체육관에서도 상황은 마찬가지였어요.
앙드레 체육 선생님은 축구 시합을 하기 위해서
반 애들을 두 팀으로 나눴어요. 파스칼 아멜리는
뱅상과 한팀이 됐어요. 파스칼 아멜리는
공격수예요. 나는 상대편 골키퍼고요. 나도 적이

아니라 같은 편이고 싶어요.

경기가 시작되었어요. 파스칼 아멜리는 원래 축구를 잘해요. 우리 팀 선수들을 능숙하게 제치고 내가 지키는 골대 앞까지 공을 몰고 왔어요. 우리 눈빛이 마주쳤어요. 순간 시간이 멈춘 듯했어요. 나는 파스칼 아멜리의 예쁜 얼굴에 반해 그 자리에 얼어붙고 말았어요.

하지만 둥그런 게 그 애와 나 사이에 불쑥 끼어들었어요. 축구공이 엄청난 속도로 날아왔어요! 파스칼 아멜리가 힘껏 공을 찬 거예요. 나는 손 한번 쓰지 못한 채 그대로 공에 맞고 말았어요.

쾅! 그것도 이마에 정통으로 맞았어요! 눈앞에 별이 보였어요. 엉덩방아도 찧었어요.

뱅상은 팔을 하늘 높이, 아니 그래 봤자 체육관 천장이지만, 팔을 번쩍 쳐들고 좋아서 폴짝거렸어요. 녀석은 내 이마에 부딪혀 튀어 오른 공을 골대로

E
S
A

헤딩 했어요. 진짜 왕재수예요! 하지만 녀석은 머리를 쓰는 건 잘 못 해요. 앙토니가 이런 우스갯소리를 하며 녀석을 놀려 주면 좋겠어요. 난 축구공에 맞아서 정신이 없거든요.

앙토니와 파스칼 아멜리가 날 보건실에 데려갔어요.

"크게 다치지는 않았는데, 머리가 좀 띵할 거야."

별명이 '주사기'인 보건 선생님이 말했어요.

"어차피 머리 쓰는 건 잘 못 하잖아."

앙토니가 우스갯소리를 했어요.

나는 기분이 팍 상했어요.

"그 말은 내가 아니라 뱅상한테 했어야지!"

나는 보건실 침대에 걸터앉았어요. 발이 땅에 닿지 않았어요.

미안해하는 파스칼 아멜리의 어깨가 내 몸에 살짝 스쳤어요. 짜릿했어요!

"미안해. 그런데 내가 공을 찰 때, 너도 날 보지

않았니?"

파스칼 아멜리가 물었어요.

"그렇지. 하지만 얘는 널 본 게 아니야."

앙토니가 끼어들었어요.

"난 수업 때문에 체육관에 다시 가 봐야 해. 괜찮겠어, 도미니크?"

파스칼 아멜리가 걱정스레 물었어요.

그 애 입에서 내 이름이 흘러나왔어요. 마치 아름다운 음악을 들은 것 같아요! 난 어떻게든 살아남을 거란 표정을 지으며 손 인사를 했어요. 파스칼 아멜리가 보건실 문을 닫고 나갔어요. 아, 벌써 보고파요. 내가 미쳤나 봐요!

“야, 둠둠, 파스칼 아멜리가 너한테 쾅쾅 확실하게 도장을 찍었네.”

앙토니가 짓궂은 농담을 하며 키득거렸어요.

“무슨 소리야?”

나는 속마음을 들킨 줄 알고 발끈했어요.

“네 얼굴에 쓰여 있잖아.”

앙토니가 내 이마를 가리키며 말했어요.

난 앙토니의 말을 알아듣지 못했어요. 그러자 앙토니는 날 거울 앞으로 데려갔어요.

에이 씨! 아, 창피해요. 이마에 축구공 로고와 ‘아디다스’라는 글자가 거꾸로 콱 박혔어요.

‘sɒbibɒ’

“금방 없어질 거야. 그런데 다른 건…….”

주사기 선생님이 날 위로했어요.

“다른 거라니요?”

“네 몸의 상처는 낫게 할 수 있는데, 한눈에 반하지

않게 하는 예방 주사는 없어."

주사기 선생님이 싱긋 웃으며 말했어요.

3장

사랑의 편지

소문은 삽시간에 학교 운동장에 쫙 퍼졌어요.

'도미니크가 파스칼 아멜리를 좋아한대!
도미니크가 파스칼 아멜리를 좋아한대!
알나리깔나리!'

내 이마에 찍힌 자국은 날 해리 포터처럼 바꿔 놓았어요. 다들 내 이마를 힐끗힐끗 쳐다봤어요. 난

스웨터를 머리끝까지 올려서 감추고 싶었어요. 하지만 그러면 못생긴 배꼽이 보여서 더 창피할 거예요.

"둡둡, 숨기려 해도 소용없어. 나무 밑동에 새긴 하트에 너희 둘의 이름을 적은 것처럼 빤히 보이는데, 뭐."

앙토니가 말했어요.

자비에 보리외는 한술 더 떴어요.

"그래, 그림이 그려져. 파스칼 아멜리 노엘(Pascale-Amélie Noël)과 도미니크 아벨(Dominic Abel)의 앞 글자를 따면 P.A.N.D.A.…… 판다네!"

"도미니크가 파스칼 아멜리의 커다란 판다곰 인형이네."

소피 라로슈가 웃음을 터뜨렸어요.

이 소문이 파스칼 아멜리의

귀까지 들어갔을까요?

내가 교실에 들어갔을 때도 애들이 놀리면서 웃는 소리가 복도에 계속 메아리쳤어요. 번개가 내 심장을 뚫고 들어왔어요. 파스칼 아멜리는 자기 자리에 앉아 있었어요. 눈빛이 마주쳤어요. 파스칼 아멜리는 고개를 숙였어요. 아마도 내 이마에 난 자국 때문에 미안해하는 것 같아요. 아직 우리 소문은 못 들었나 봐요.

나는 골똘히 생각해 봤어요. 이렇게 모든 애들이 떠들어 대니까, 파스칼 아멜리는 자동으로 내 여자 친구가 된 게 아닐까요? 아니면 파스칼 아멜리한테 따로 허락을 받아야 할까요?

왕재수 뱅상이 했던 말이 어렴풋이 떠올랐어요. 언젠가 한번은 내가 이렇게 물었어요.

"어떡하면 여자애가 여자 친구가 돼?"

녀석은 어깨를 으쓱이며 심드렁하게 대답했어요.

“그냥 저절로 돼. 근데 너 지금 마술사한테 마술 비밀을 알려 달라는 거야?”

쥬느비에브 선생님이 딴생각에 빠진 날 깨웠어요.

“도미니크! 무슨 생각을 그렇게 하니? 정신 차려.”

주위에서 키득거리는 웃음소리가 들려왔어요.

“아마 달콤한 상상에 빠졌을 거예요.”

앙토니가 장난스레 말했어요.

“도미니크, 프랑스 어 숙제를 왼쪽 친구에게 넘기렴.”

나는 시키는 대로 했어요. 앙토니에게 넘겼어요.

“그쪽이 아니라 반대!”

선생님이 말했어요.

“네 왼쪽.”

내 단짝 친구도 말했어요.

내 왼쪽이라면…… 파스칼 아멜리에요. 숙제 공책을 건네다가 내 손이 파스칼 아멜리의 손끝에 닿았어요.

짜릿했어요! 그 바람에 공책을 놓치고 말았지요.
나와 파스칼 아멜리는 공책을 주우려고 동시에
고개를 숙이다가 머리를 부딪쳤어요. 쿵! 내 심장도
쿵! 했어요. 주위에서 와하하 웃음보가 터졌어요.

우리는 아무 말도 못 하고, 수줍은 미소만 띠며
머리를 만지작거렸어요.

그 뒤로는 크게 당황스러운 일 없이 시간이
흘렀어요. 난 곰곰이 생각했어요. 결론은 학교
버스를 탈 때 파스칼 아멜리와 같이 앉아야겠다는
거예요. 그러려면 당장 파스칼 아멜리에게 쪽지를
전해야 해요.

나는 쥬느비에브 선생님이 칠판에 글씨를 적는
동안 쪽지를 써서 앙토니에게 넘겼어요.

내 쪽지는 온 교실을 돌아다니다가 소피
라로슈에게서 멈췄어요. 소피 라로슈가 내 쪽지를
펼쳐서 읽었어요. 뻔뻔하기도 하지, 소피 라로슈는

나한테 눈을 깜빡이며 작게 말했어요.

"그래, 알았어!"

안 돼! 소피 라로슈한테 보낸 게 아니란 말이에요!

하지만 소피도 알아요. 장난꾸러기 소피 라로슈는 파스칼 아멜리에게 쪽지를 내밀었어요.

휴, 천만다행이에요.

하지만 아니었어요!

내 쪽지는 파스칼 아멜리 손에 닿기 전에…… 쥬느비에브 선생님 손으로 넘어갔어요.

"누가 수업 시간에 쪽지를 돌리니?"

선생님이 엄한 목소리로 말했어요.

아, 안 돼!

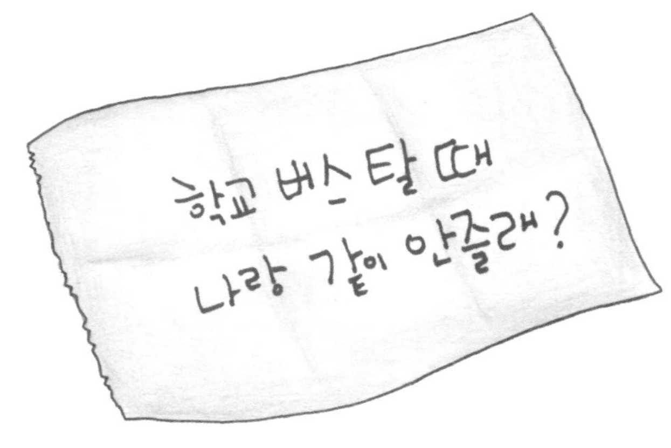

선생님은 큰 소리로 쪽지를 읽었어요.

"학교 버스 탈 때 나랑 같이 앉을래?"

나는 귀까지 확 빨개졌어요.

글씨체를 알아본 쥬느비에브 선생님이 날 불렀어요.

"도미니크! 선생님한테 뭘 배웠니? 아직도 맞춤법을 틀리면 어떡해? 다음번엔 신경 좀 써!"

선생님은 파스칼 아멜리에게 쪽지를 건네줬어요.

"너한테 보낸 거다. 수업 끝나고 대답해 줘. 알겠지?"

"네."

선생님은 날 돌아보며 가볍게 고개를 끄덕였어요.

"수업 끝나면, '응'이라고 대답해 줄게."

파스칼 아멜리가 속삭였어요.

나는 정말 좋아서 소리를 지를 뻔했어요.

봤지? 술탄 뱅상!

선생님은 다시 수업을 했어요.

"자, 그럼 오늘은 명사의 복수형을 배워 보자.

'-ou'로 끝나는 단어의 복수형은 끝에 '-x'를 붙여."

우리는 '-ou'로 끝나는 단어를 한목소리로 읽었어요.

"bijou(비쥬, 보석), caillou(카이유, 자갈), chou(슈, 양배추), genou(주누, 무릎), hibou(이부, 부엉이), joujou(주주, 장난감)……."

"하지만 예외가 있어."

"선생님, 제가 알아요!"

앙토니가 번쩍 손들었어요. 앙토니는 나한테

윙크하면서 대답했어요.

"bisou(비주), 뽀뽀예요!"

쥬느비에브 선생님은 싱끗 웃었어요.

"그래, 뽀뽀의 복수형은 끝에 '-s'를 붙여."

앙토니는 고집스럽게 물었어요.

"그런데 왜 뽀뽀 뒤에는 항상 'X'를 잔뜩 덧붙여요?"

(캐나다 퀘벡 지방 아이들은 친한 사이끼리 편지 끝에 'bisou(뽀뽀)'라고 쓰고, 뽀뽀를 뜻하는 부호 'XX 혹은 XXX'를 즐겨 적는다 : 옮긴이)

상사병

집에 가는 길, 학교 버스에서 남자애들은 파스칼 아멜리를 자기 옆에 앉히려고 난리를 쳤어요. 하지만 그때마다 파스칼 아멜리는 정중하게 거절하고 지나쳤어요. 술탄 뱅상도 발딱 일어나 자기 옆에 빈자리를 가리켰어요. 파스칼 아멜리 뒤에 있던 으제니가 뱅상을 무섭게 노려봤지요. 뱅상은 냉큼

자기 자리에 도로 앉았어요.

파스칼 아멜리는 내 자리까지 왔어요……. 마침내 내 옆에 앉았어요!

파스칼 아멜리가 내 여자 친구가 된 첫날, 첫 데이트예요. 하지만 진짜 데이트는 아니에요. 나중에 내가 정식으로 데이트 신청을 해야 할 거예요. 그렇지 않아요? 아, 모르겠어요. 어려워요!

난 고민스러웠어요. 아까 보낸 쪽지에는 짧지만 많은 뜻이 담겨 있어요. '내 여자 친구가 되어 줄래?', '널 좋아해!', '매일매일 너랑 같이 다니고 싶어!'라는 뜻이에요. 내가 너무 앞서 갔나요? 아무래도 그런 것 같아요.

학교 버스 안은 쥐 죽은 듯 고요했어요. 왱왱 파리 날아다니는 소리만 들렸지요. 쿵쾅거리는 내 심장 소리하고요. 파스칼 아멜리와 나는 모든 애들의 관심의 대상이 되었어요. 세상에 사랑하는 사람과

단둘이 있기를 바라는 건 헛된 꿈인가 봐요.
삼십여 명의 애들이 우리가 무슨 얘기를 하는지
엿들으려고 귀를 쫑긋 세우고 있는 학교 버스라면
더더욱 그렇지요. 우리는 너무 부끄러워서 말 한 마디
나누지 못했어요.

하도 조용하니까 브뤼노 운전기사 아저씨가 깜짝
놀라서 시동을 껐어요. 그러고는 운전석에서 일어나
아이들을 둘러봤어요.

"오늘 왜 이렇게 조용하니? 무슨 일이라도 있니?"

소피 라로슈가 일어나서 간단하게 설명했어요.

브뤼노 아저씨는 파스칼 아멜리와 나를 빤히 쳐다봤어요.

"아, 그렇구나! 우리의 로미오와 줄리엣. 그래, 계속해라!"

아저씨는 다시 운전석에 앉아 라디오를 켰어요. '상사병'이라는 노래가 흘러나왔어요.

'뭘 하란 거지? 손을 잡을까? 껴안을까? 말을 걸까?'

"나…… 날씨 좋다. 그렇지?"

내가 말을 더듬으며 먼저 입을 열었어요.

아니야! 여기서 날씨 얘기를 꺼내다니! 이런 멍청한…….

"응."

파스칼 아멜리는 짤막하게 대답했어요.

그때, 비가 쏟아졌어요!

앙토니가 큰 소리로 놀리듯이 말했어요.

"얘들이야 당연히 햇볕 쨍쨍이겠지!"

하하하하하하하! 웃음소리로 학교 버스가 가득 찼어요.

그리고 한 아이가 이렇게 말하자, 다른 아이들도 따라 하기 시작했어요. 어느새 노래가 됐어요. ……아니, 명령이 되었어요!

"뽀뽀해! 뽀뽀해!"

애들은 박자에 맞추어 한목소리로 외쳤어요.

"그래, 그게 좋겠네!"

브뤼노 아저씨도 거들었어요.

안 돼! 안 돼! 안 돼! 안 돼! 애들 앞에선 안 돼요!

게다가 난 한 번도 여자애한테 뽀뽀해 본 적이 없단 말이에요. 사촌 여동생한테 한 건 진짜 뽀뽀가 아니잖아요. 그건 새해 첫날에 가족들이 하라고 시켜서 어쩔 수 없이 뺨에 한 거예요. 지독한 감기에 수두까지 걸린 애한테 말이에요. 그 바람에 나도 수두에 걸렸다고요!

신이 난 애들은 멈추지 않았어요.

"뽀뽀해! 뽀뽀해!"

아이들이 계속 놀리면 나는 화낼지도 몰라요. 뽀뽀 때문에 아이들이랑 싸우게 생겼어요.

눈치 빠른 앙토니가 나서서 말렸어요.

"그만해! 얘들은 벌써 눈빛으로 뽀뽀했어! 그럼 됐잖아!"

순간 파스칼 아멜리 손이 내 손을 살짝 스쳤어요. 파스칼 아멜리는 내 손에 뭔가를 슬쩍 쥐여 줬어요. 나는 가방 주머니에 얼른 숨겼어요.

뽀뽀만큼이나 확실한 표시예요. 확실히 덜 부끄럽고요.

뒷이야기

우리 뽀뽀할래?

이다음에 욕실에서 뽀뽀 연습을 할 때는 문 잠그는 걸 꼭 잊지 말아야겠어요!

한창 뽀뽀 연습을 하고 있는데, 내 동생 이사벨이 불쑥 들어왔지 뭐예요. 이사벨은 화들짝 놀라 소리를 지르며 엄마 아빠 방으로 뛰어갔어요. 나는 황급히 이사벨을 뒤쫓았어요.

“아빠! 엄마! 오빠가 거울에다 뽀뽀해!”

“아니야! 네 손자국이 많아서 지우려고 한 거야.”

엄마 아빠는 푸시시 웃었어요.

이사벨이 장난기 가득한 눈으로 말했어요.

"몰라! 입이 삐쭉 나온 수족관 물고기 같아!"

엄마 아빠는 웃음보를 터뜨렸어요.

나는 꾹 참았어요. 못된 계집애 같으니라고!

나는 내 방으로 달려가 이불을 푹 뒤집어썼어요. 손이, 아마도 이사벨 손이 내 머리를 툭 쳤어요.

"오빠, 다음부터 욕실에 들어갈 때는 꼭 노크할게."

이사벨이 사과했어요.

나는 이불 밖으로 빼꼼히 얼굴을 내밀며 볼멘소리로 대답했어요.

"알았어."

이사벨은 내 침대에 걸터앉아 말했어요.

"오빠, 나도 유치원에 남자 친구가 있어. 이름이 트리스탕이야. 난 걔한테 뽀뽀도 했어. 오빠는 여자 친구한테 뽀뽀해 봤어?"

이사벨한테는 사실대로 말해 봤자 아무 소용 없어요.

"네가 참견할 일이 아니지……."

이사벨은 금세 알아챘어요.

"아하, 못 해 봤구나! 괜찮아. 근데 오빠는 여자 친구랑 결혼할 거야? 난 여섯 살이 되면, 트리스탕이랑 결혼할 거야."

엄마는 잠잘 시간이라며 이사벨을 데려갔어요.

아빠가 들어왔어요. 우리는 남자 대 남자로 이야기를 나눴어요. 나는 머뭇거리다가 아빠에게 다 털어놓았지요. 아빠는 내 마음을 이해했어요. 아빠도 내 나이 때 똑같은 경험을 했대요. 물론 그 여자 친구가 엄마는 아니었지만요!

아빠의 첫사랑 이름은 샤를로트래요.

"아빠는 첫사랑이랑 뽀뽀해 봤어요?"

"아빠는 부끄럼이 많아서 못 했어. 그래도 걔는 내

여자 친구였어. 우리 사랑은 오래갔지…… 일주일. 걔는 날 버리고 5학년 형한테 갔어. 쉬는 시간만큼 짧은 사랑이었지만, 네 사랑만큼이나 진했어.”

“아빠, 나는 파스칼 아멜리를 보자마자, 가슴에 나비가 날아온 것 같았어요.”

문밖에서 엿듣던 이사벨이 흥분해서 뛰어

들어왔어요.

"나비? 나비 보여 줘! 나도 볼래, 나비!"

"그 나비는 숨어 있어서 볼 수 없어."

아빠가 부드럽게 타일렀어요.

이사벨은 발을 구르고는 팔짱을 끼고 뾰로통하게 말했어요.

"피, 거짓말!"

엄마가 다시 와서 이사벨을 데려갔어요. 아빠가 손목시계를 보며 말했어요.

"밤이 늦었다. 잘 자라, 우리 아들!"

서로 마음속 이야기를 해서인지 기분이 좋았어요. 아빠는 내 이마에 뽀뽀했어요. 그리고 내 방 불을 껐어요.

"저기…… 아빠?"

"왜?"

"어두워요……."

이사벨이 까르르 웃었어요.

“오빠, 캄캄해서 무서워? 잠 잘 오게 내 강아지 인형 빌려 줄까?”

엄마가 또다시 와서 이사벨을 데리고 갔어요.

아빠는 빙그레 웃으며 침대 옆에 있는 전기스탠드 불을 다시 켜 줬어요.

이제 나 혼자 있게 되었어요. 나는 베개 밑에서 아까 파스칼 아멜리가 준 선물을 꺼냈어요. 스탠드 불빛에 파스칼 아멜리가 준 사진에 적힌 글을 떨리는 마음으로 읽고 또 읽었어요.

내 남자 친구 도미니크에게
뽀뽀 XXX

작가의 말

《자꾸자꾸 생각나》는 캐나다 퀘벡의 일간지 '라 프레스'에서 한 기자의 기사를 읽다가 영감을 얻어 썼어요. 그 기자는 '열한 살의 위대한 사랑'이란 제목으로 사랑의 감정을 경험하는 초등학생들의 이야기를 실었어요.

거기에 우리 도미니크를 넣어 상상해 봤지요. 지퍼가 고장 나고, 예방 주사에 덜덜 떨고, 버둥버둥 스키 수업에, 천방지축 동생과 한바탕 소동, 심지어 감옥 체험까지 한 도미니크에게도 무난한 사랑 얘기가 필요하지 않을까요?

아, 아니에요. 사랑 얘기에 무난한 건 없어요! 게다가 도미니크는 늘 곤란한 상황에 빠지잖아요.

사랑 고백은 어떻게 해야 할까요? 어떡해야 그냥 여자애가 여자 친구가 될까요? 친구들이 보는 앞에서 말하면 사귀는 걸까요? 아니면 계약서에 사인이라도 해야 할까요? 그래서 그 애가 고백을 받아 주면 어쩌죠? 도망칠까요? 아니면 받아들일까요?

알랭 M. 베르즈롱

옮긴이의 말

우리 도미니크가 사랑에 빠졌어요. 알랭 M. 베르즈롱 선생님은 '가슴에 나비가 날아온 것 같다'는 아름다운 문장으로 이런 마음을 표현했어요. 도미니크는 쪽지로 수줍게 마음을 전하고, 파스칼 아멜리는 '내 남자 친구 도미니크에게 뽀뽀 XXX'라고 답해요. 이제 둘은 서로를 알아 갈 거예요. 그래서 앞으로의 이야기가 궁금하고 기대돼요. 이 책을 읽는 여러분 가운데 누군가를 좋아해서 혼자 끙끙 가슴앓이를 하는 친구가 있다면 도미니크처럼 고백해 보면 좋겠어요. 꼭 쪽지가 아니더라도, 어떤 방법으로든 고백해 봐요. 모든 사랑 이야기는 고백에서부터 시작하니까요.

책을 읽다 보면 프랑스 말을 설명한 대목이 나와요. 작가 선생님은 한국 독자들이 이해하기 어려울까 봐 다시 써 주겠다고 했는데, 그대로가 나을 것 같아 고치지 않았어요. 프랑스 말을 조금 배워 본다는 생각으로 읽어 주길 바라요.

이정주